Chers amis rongeurs,
bienvenue dans le monde de

Geronimo Stilton

Texte de Geronimo Stilton
Basé sur une idée originale d' Elisabetta Dami
Illustrations de Larry Keys et Ratterto Rattonchi
Couverture de Larrys Keys
Maquette de Merenguita Gingermouse
Traduction de Titi Plumederat

Les noms, personnages et intrigues de Geronimo Stilton sont déposés. Geronimo Stilton est une marque commerciale, propriété exclusive des Éditions Piemme S.p.A. Tous droits réservés.
Le droit moral de l'auteur est inaliénable.

www.geronimostilton.com

Pour l'édition originale :
© 2000 Edizioni Piemme S.p.A. – Via Galeotto del Carretto, 10 – 15033 Casale Monferrato (AL) – Italie – www.edizpiemme.it – info@edizpiemme.it, sous le titre *È Natale, Stilton!*
International rights © Atlantyca S.p.A. – Via Leopardi, 8 – 20123 Milan, Italie – www.atlantyca.com – contact : foreignrights@atlantyca.it
Pour l'édition française :
© 2004 Albin Michel Jeunesse – 22, rue Huyghens – 75014 Paris – www.albin-michel.fr
Loi 49 956 du 16 juillet 1949 sur les publications destinées à la jeunesse
Dépôt légal : second semestre 2004
N° d'édition : 16012/7
ISBN : 978 2 226 15319 7
Imprimé en France par l'imprimerie Clerc à Saint-Amand-Montrond en janvier 2010

Stilton est le nom d'un célèbre fromage anglais. C'est une marque déposée de Stilton Cheese Maker's Association. Pour plus d'information, vous pouvez consulter le site www.stiltoncheese.com

Geronimo Stilton

JOYEUX NOËL, STILTON !

ALBIN MICHEL JEUNESSE

GERONIMO STILTON
SOURIS INTELLECTUELLE,
DIRECTEUR DE *L'ÉCHO DU RONGEUR*

TÉA STILTON
SPORTIVE ET DYNAMIQUE,
ENVOYÉE SPÉCIALE DE *L'ÉCHO DU RONGEUR*

TRAQUENARD STILTON
INSUPPORTABLE ET FARCEUR,
COUSIN DE GERONIMO

BENJAMIN STILTON
TENDRE ET AFFECTUEUX,
NEVEU DE GERONIMO

COMME DU FROMAGE RÂPÉ...

C'était la veille de *Noël*...
Ce matin-là, à peine levé, je courus à la fenêtre pour regarder dehors.
– Par mille mimolettes, il *neige* ! Il neige, enfin ! couinai-je en regardant, émerveillé, les flocons qui voltigeaient dans l'air, blancs et légers comme du *fromage râpé*...
Je me précipitai sur le téléphone pour prévenir Benjamin, mon neveu préféré.
– Benjamin, mon souriceau... il **neige** !

– Il neige, oncle Geronimo ? Comme c'est beau !!!

– Ce matin, je dois aller au bureau pour travailler. Mais, cet après-midi, je t'emmène au parc et nous ferons un BONHOMME DE NEIGE !
Mais avant de sortir, il faudra bien te couvrir, dehors, tu vas avoir très froid !

Moi aussi, je décidai de bien me couvrir.

Voici comment je m'habillai :

1. Un maillot de flanelle + des caleçons de laine (longs) !

2. Un tricot léger + un pull moyen + un chandail épais + un chandail hyper-épais !

3. Un pantalon imperméable doublé avec huit couches de molleton !

4. Un anorak hydrofuge avec dix (dix !) épaisseurs de rembourrage !

Vous l'aurez peut-être compris : je suis un gars,
ou plutôt un rat, assez **FRILEUX**…
Enfin, maintenant, j'avais vraiment bien chaud.
Et même trop chaud…
Euh, je m'étais tellement

REMBOURRÉ

que j'avais du mal à bouger !

5. Une grosse écharpe de laine jaune !

6. Des oreillettes en poil de chat synthétique + une casquette à visière !

7. Des gants imperméables doublés de fourrure de chat synthétique !

8. Trois paires de chaussettes + des bottes en caoutchouc qui montaient jusqu'aux genoux !

Pendant un moment, je me demandai si je devais mettre aussi mes **lUNetteS dE glacier**, celles avec la monture de cuir enveloppante, puis je me dis qu'il valait peut-être mieux ne pas exagérer...

Et vous, vous en pensez quoi ?

Uhmmm, je me demande...

...si je ne devrais pas mettre mes lunettes de glacier ?

Scouittt, vaut mieux Pas !!!...

UN NOËL
AU POIL !

Avant de sortir, je vérifiai que tout était en place. Je préparais le *réveillon de Noël* depuis des mois : la tradition voulait qu'il ait toujours lieu chez moi.

J'invitais ma famille, mes collaborateurs, mes amis, les amis de ma famille, les amis de mes collaborateurs, les amis de mes amis...

Bref, vous l'avez compris : chez moi, la veille de *Noël*, la moitié de la ville se réunissait !

Ah, ça me donnait beaucoup de travail... mais je tenais à ce que tout soit *parfait*.

Sur ma porte, j'avais accroché une couronne de houx aux feuilles vertes et brillantes, sur lesquelles se détachaient de joyeuses petites baies rouges. Et, noué à la couronne, un ruban frappé de l'inscription :

Joyeux Noël, chers amis rongeurs !

Dans l'entrée, j'avais suspendu une guirlande de gui, aux baies d'un blanc laiteux, ornée de nœuds de soie rouge et parsemée de paillettes dorées.

Sous la fenêtre, j'installai un petit manège de métal, avec cinq angelots dorés qui faisaient la ronde autour d'une bougie rouge. Quand le manège tournait, un carillon jouait un chant de Noël.

J'allumai la bougie, pour voir : c'était magnifique !!!

J'avais choisi un sapin de Noël écologique...

Et l'arbre de Noël ? Évidemment, j'avais choisi un sapin *écologique*. Vous saviez cela ? À Noël, on vend des sapins dont on n'a pas coupé les racines. Comme ça, on peut les replanter sans son jardin, et ils ne meurent pas. Je *caressai* délicatement une branche de l'arbre : après les fêtes, je le replanterais dans mon jardin.

– Cher sapin, tu verras, tu seras bien ! Tu auras plein d'amis qui te tiendront compagnie ! murmurai-je.

Euh, excusez-moi, je sais bien que ça peut vous paraître ridicule, mais je suis comme ça : j'aime parler aux *plantes*.

J'ouvris le réfrigérateur : sur un plat doré, il y avait l'énorme bûche **farcie** au roquefort, recouverte de crème au beurre, décorée avec un petit sapin de sucre et des souris skieuses, en **sucre** elles aussi.

Un véritable chef-d'œuvre dû à mon pâtissicr préféré, Vanil Vanillé.

Je lus le menu à voix basse :

Hors-d'œuvre de petits fromages frais aromatisés aux fines herbes

*

Tartines de fromage aux truffes

*

Crêpes au maroilles fondu

*

Soufflé de mozzarella surfine

*

Tourte à la fondue

*

Bûche au roquefort

 Puis j'allai dans ma chambre et j'ouvris l'armoire : les étagères ployaient sous des paquets de toutes formes aux *rubans* multicolores. C'étaient les cadeaux pour les invités ! Au fond, près des écharpes, j'avais rangé trois paquets particuliers. Le premier était pour Téa, ma sœur, envoyée spéciale de *l'Écho du rongeur*. Pour elle, j'avais acheté une nouvelle caméra ultracompacte avec appareil photo incorporé.

Pour Benjamin, mon neveu, j'avais choisi une combinaison de ski, jaune, avec plein de **trous de fromage** imprimés.

Pour Traquenard, mon cousin (c'est un passionné de cuisine), j'avais pris un livre du plus célèbre cuisinier de Sourisia, **Savarin Gratin**.

Le livre s'intitulait…

MES RECETTES SECRÈTES AU FROMAGE

Je souris sous mes moustaches. Oui, j'en étais sûr, ce serait vraiment un *Noël au poil* !

Savarin Gratin

EUH, MON NOM EST STILTON...

Chers amis rongeurs, excusez-moi.

D'habitude, je commence toujours par me présenter, mais, cette fois, ça m'est complètement sorti de l'esprit (il y a tant de choses auxquelles il faut que je pense, en cette veille de *Noël* !).

Mon nom est Stilton, *Geronimo Stilton*. Je suis une souris **éditeur**, je dirige le quotidien le plus diffusé de l'île des Souris, *l'Écho du rongeur*. Mais vous me connaissez peut-être déjà. Je ne dis pas cela pour me vanter, mais ici, à *Sourisia*, je suis assez connu et beaucoup de personnes ont lu mes aventures.

Euh, où en étais-je ? Ah, oui, je vous disais donc... Je sortis de chez moi et me dirigeai vers mon bureau.

J'avais le pelage tout hérissé et je m'enveloppai
le museau dans mon écharpe pour ne pas
congeler mes moustaches. Oui, il faisait un
froid de félin, mais comme la ville des
Souris était belle sous la neige !
Je regardai les toits argentés, les rues blanchies,
les arbres qui avaient l'air d'être décorés avec
des guirlandes de dentelle de glace.
Je respirai à fond l'air piquant et me dis que je
vivais dans le plus bel endroit du monde : qu'y
a-t-il de mieux que d'habiter ici, à Sourisia,
dans l'île des Souris ?
Dans les rues, souris, mulots, rats
des villes et rats des champs se
pressaient en tous sens, les
pattes chargées de gros et
de petits paquets.
Devant un grand magasin, je
remarquai un rongeur déguisé
en Rat Noël qui agitait une

Ding dong !

Des rongeurs affairés se pressaient dans les rues…

clochette dorée et qui lançait aux passants :
– *Joyeuses fêtes à tous !*
Il y avait aussi un groupe de petites souris qui entonnaient des chants de Noël…
Je m'arrêtai pour les écouter, puis je les félicitai :
– Vous chantez vraiment très bien !
– Merci, monsieur ! couinèrent-ils, et ils partirent en courant, tout joyeux. Je repris ma promenade : les vitrines étaient vivement éclairées, remplies de CADEAUX DE NOËL.
Je passai devant la fromagerie la plus raffinée de Sourisia :

« Au paradis du… Rat Gourmet »

…et je humai l'air : quel parfum délicieux ! Je jetai un coup d'œil à l'intérieur et ne résistai pas à la tentation d'entrer. Que de fromages ! Frais et affinés, doux et piquants, natures et aromatisés… Une souris rougeaude, avec un crayon glissé derrière l'oreille, touillait une marmite pleine de cancoillotte.

Derrière lui, j'avisai deux magnifiques meules de gruyère, emballées dans de luxueux paniers entourés d'un brillant ruban de satin jaune. Je les indiquai à la souris. Elle sourit sous ses moustaches :

– Monsieur est un connaisseur ! Ça, c'est du gruyère millésimé ! Du fromage pour les gourmets ! murmura-t-il en me faisant un clin d'œil.

– Sentez-moi un peu ce parfum… et il m'en tendit une lichette à goûter.

Mes moustaches se tortillèrent. Ce gruyère était
sublime !
– Je prends les deux meules. Vous les livrerez
chez moi ! m'exclamai-je.
En passant devant un magasin de jouets, j'ache-
tai un cadeau pour Benjamin : un énorme chat
en **peluche** ! En vérité, j'avais déjà acheté
son cadeau, mais j'aimais l'idée de lui faire une
Surprise. Je demandai à la vendeuse :
– S'il vous plaît, pouvez-vous livrer ce jouet
chez moi, *8, rue du faubourg du Rat* ?

Au paradis du...

Rat gourmet

JE NE SAVAIS PAS QUE TU PARTAIS POUR LE PÔLE NORD !

Enfin, j'arrivai à mon journal, *l'Écho du rongeur*.
– *Bonjour, tout le monde !* lançai-je en ouvrant la porte.
Je croisai Sourisette, mon assistante.
– Monsieur Stilton ! Vous venez au bureau même aujourd'hui ?
Je lui souris.
– Je suis simplement passé pour signer un contrat, Sourisette. Après, je rentre chez moi. Ce n'est pas tous les jours *la veille de Noël...*
Sourisette ajusta ses lunettes sur son museau, m'examina de la tête aux pattes et couina :
– Mais, monsieur, excusez-moi...
... vous n'avez pas chaud ?

C'est alors que la porte s'ouvrit : c'était mon neveu, Benjamin !

Il était suivi de Téa, ma sœur, et de Traquenard, mon cousin.

En me voyant, Téa écarquilla les yeux et s'écria :

– Ge… Ge… Geronimo !

Puis elle éclata de rire. Elle n'arrivait même plus à parler, elle gloussait hystériquement :

HI HI HI...

HI HI HI...

et, en même temps, elle désignait mes vêtements.

Cependant, Traquenard

me hurla au museau, pour faire l'intelligent :

– *Gerominou* ! Tu ne m'avais pas dit que tu partais pour le **PÔLE NORD**, *Geronimou* ! Je ne te savais pas aussi aventureux !

Puis il me pinça la queue :

– Dis-moi, dis-moi, *Geromini*, tu pars quand ? Hein, tu pars quand, *Geronimoche* ?

Je marmonnai, vexé :

HA HA HA…

– Pour commencer, je ne pars pas pour le pôle Nord… Ensuite, mon nom est Stilton, *Geronimo* Stilton…

Heureusement, Benjamin se jeta dans mes pattes, m'embrassa en s'enfonçant dans les dix couches de rembourrage de mon anorak.

– On est venu te dire bonjour, oncle Geronimo !

Puis il murmura :

– Tu as bien fait de te couvrir. Dehors, il fait très très froid… et il ajouta, tout heureux, avec des yeux brillants : …parce qu'il y a de la NEIGE !

Heureusement, Benjamin se jeta dans mes pattes
et m'embrassa...

JOYEUX NOËL, GERONIMO !

Je ne daignai pas accorder un regard à ma sœur (qui continuait de se tordre de rire) et je décidai de ne pas faire attention non plus à Traquenard. Benjamin me prit par la patte.

– Oncle Geronimo ! On va faire un **bonhomme de neige** ?

– Pas tout de suite, ma lichette d'emmental ! répondis-je en caressant tendrement ses petites oreilles. D'abord, j'ai un contrat à signer, mais après, je serai libre et, promis, nous pourrons aller JOUER ensemble...

Une fois seul, je me dirigeai vers la salle de rédaction.

Je passai devant le bureau des maquettistes, où tout le monde était devant son

ORDINATEUR, occupé à préparer la mise en
pages et la une du journal.

Mon conseiller graphique, **Fred Van Kaas**, me salua :
– Joyeux Noël, monsieur Stilton ! Puis il ajouta :
Excusez-moi, vous n'avez pas trop chaud ?
– Non, je suis très bien, répondis-je.

Margarita Gingermouse, une petite souris au
pelage couleur cuivre, s'exclama :
– Joyeux Noël, monsieur ! Mais… vous n'avez
pas trop **CHAUD** ?
– Joyeux Noël à vous, Margarita !
Non, je suis très bien !

Quesita de la Pampa,
une souris frisée, me salua aussi :
– Geronimo ! Joyeux Noël ! Mais,
excuse-moi, comment fais-tu pour ne
pas crever de chaud ?
– Chaud ? Pourquoi devrais-je avoir
chaud ? Je vais très bien ! Merci,
répondis-je, convaincu.

FRED VAN KAAS

Je traversai la salle de rédaction.

Chantilly Kashmir, ma rédactrice en chef, sursauta en me voyant.

– Geronimo ! Mais comment es-tu attifé ? Tu n'as pas chaud ? Déboutonne au moins l'anorak !

Je hurlai, excédé :

– Non ! Merci ! Je vais bien ! Je vais très bien ! Mer-veil-leu-se-ment bien !

Je TROTTINAI en toute hâte et croisai mon web manager, **RAMOLLO CLIQUÉ**.

Margarita Gingermouse

Quesita de la Pampa

RAMOLLO CLIQUÉ

Il écarquilla les yeux derrière ses lunettes :
– Par mille mégabits, Stilton, tu n'as pas chaud ?
Je criai :
– Non, je n'ai pas chaud !
Il me regarda comme si j'étais un rat d'égout en
plein délire, mais il se contenta de secouer la tête.
– Ne te fâche pas, je disais ça comme ça...
Je croisai un groupe de DESSINATEURS :
Larry Keys, Blasco Tabasco et Matt Wolf.
– Salut, Geronimo ! chicotèrent-ils en chœur.
Excuse, mais tu n'as...

Chantilly
Kashmir

Larry Keys, Blasco Tabasco et Matt Wolf

– **Non !** répondis-je avant qu'ils aient eu le temps de terminer leur question. Tandis que je m'éloignai, je les entendis murmurer :

– Comme il est **NERVEUX** ! Le chef aurait vraiment besoin de prendre des vacances…

Je traversai l'**imprimerie** au pas de charge : c'est là que, jour et nuit, on imprime *l'Écho du rongeur* dans un fracas assourdissant… qui, aux oreilles d'un éditeur, est une délicate *musique*. **Pinky Pick**, mon assistante éditoriale, vint à ma rencontre.

– Salut, chef…

– Non ! hurlai-je. Noooooooooooooooooon ! Je n'ai pas. Pas du tout du tout !

Elle me regarda fixement et murmura, stupéfaite :

– Chef… qu'est-ce que tu racontes ? Je voulais simplement te souhaiter un *Joyeux Noël* !

PINKY PICK

Je restai comme une souris abasourdie.

– Euh, merci, Pinky. *Joyeux Noël* à toi aussi !

Je me retournai pour m'en aller. J'étais déjà loin quand elle me cria :

– Au fait, chef, tu n'as pas chaud, attifé comme ça ?

J'accélérai encore et c'est presque en courant que j'entrai dans mon bureau. Je m'enfermai et me BARRICADAI à l'intérieur. Puis je me déshabillai et remis mes vêtements habituels. *Oufff* !

Je dois avouer que je n'en pouvais plus : j'avais chaud, je n'avais jamais eu aussi chaud...

J'essuyai mes moustaches humides et m'assis à mon bureau. Voilà le contrat ! Je commençai à le lire.

Cependant, je bus une tasse de thé bouillant, et, pendant que j'y étais, grignotai un petit-four à la crème de cancoillotte.

Quel délice !

« Uhm... je réfléchissais tout en lisant, est-ce que je ne devrais pas publier mon journal ON-LINE ? Comme ça, je pourrais mettre les informations à jour en temps réel... »

DES FROMAGES
AU CHOCOLAT

C'est alors que j'entendis un grand **COUP DE FREIN**
dans la rue.
Puis un bruit bizarre.
Un bruit… un bruit… comment le définir ?

Un bruit *feutré*, comme si quelque chose de doux roulait sur le goudron, et rebondissait, *rebondissait, rebondissait...*

Qu'est-ce que ça pouvait bien être ? Curieux, je sortis en courant.

Dans la rue, un spectacle incroyable m'attendait.

Des milliers de milliers de petites BOULES dorées étaient éparpillées sur le goudron.

J'en ramassai une…

Mon Soury

Un énorme camion bloquait la rue : il avait fait un **TÊTE-À-QUEUE** et se trouvait à présent en travers de la chaussée. Tout autour, une foule de rongeurs commentait l'incident.

– Il a dû déraper sur le **Verglas**...

– Il paraît que le chauffeur a pilé pour ne pas renverser une petite souris qui a brusquement **TRAVERSÉ** devant lui...

– Il paraît que le camion transportait plus de cent mille fromages *Mon Soury*...

J'examinai la petite boule que j'avais ramassée (elle était couverte de boue mêlée de neige) et je lus un nom sur l'étiquette :

Mon Soury.

C'étaient des petits fromages raffinés enveloppés dans du papier d'étain constellé d'étoiles dorées... des petits **FROMAGES PRALINÉS**, avec

un cœur de noisette, recouvert d'une très fine et croustillante couche de chocolat fondant, de poudre d'amande et 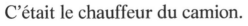.
C'est la société Ratero qui les produisait.
Sur le camion, le nom Ratero était peint en grandes lettres.
À ce moment, j'entendis quelqu'un pleurer à **CHAUDES LARMES**.
C'était un rat, vêtu d'une chemise à carreaux, qui **SANGLOTAIT**, assis sur le trottoir, et essuyait avec un grand mouchoir les larmes qui coulaient le long de ses moustaches.
C'était le chauffeur du camion.

MON SOURY !

Je m'approchai.

– Euh, je peux faire quelque chose pour vous ? demandai-je.

Il leva son museau trempé de LARMES.

– Je suis ruiné... ils vont me mettre à la porte... je devais livrer cent mille fromages Mon Soury pour le Grand bal de l'ambassade qui aura lieu ce soir. Mais une petite souris a traversé devant moi et, pour l'éviter, j'ai FREINÉ. Mon camion a fait un tête-à-queue sur le verglas et le chargement s'est éparpillé partout.

Ils vont me mettre à la porte...

Désespéré, il ne savait que répéter cette phrase.

– Ah, ce sera un triste Noël si je perds mon travail…

Je m'assis à côté de lui et essayai de le consoler.

– Allez, *ce n'est pas si grave*…

Cependant, je réfléchis. Je ramassai un fromage **Mon Soury**. Oui, il était couvert de **BOUE** et de **neige**… mais j'essayai de le nettoyer en le frottant sur la manche de ma veste et le papier d'étain doré **brilla** de nouveau.

Soudain, j'eus une idée !!!

ALORS,
QUI ME SUIT ?

Je regardai autour de moi et comptai les badauds. Dix, quinze, vingt souris, plus mes collaborateurs de *l'Écho du rongeur*…

Oui, **ON POUVAIT Y ARRIVER** !

M'adressant à la foule, je dis :

– Qui veut aider ce rongeur **malheureux** qui a besoin d'un petit coup de patte ? On va ramasser tous les fromages qui sont tombés par terre, les **nettoyer** et les remettre dans le camion !

Pour donner l'exemple, je me baissai, ramassai un **fromage** et le nettoyai.

– Alors, qui me suit ?

Quelques-uns s'éloignèrent en secouant la tête, d'un air indifférent.

D'autres murmurèrent, honteux :
– Je n'ai vraiment **pas le temps**...
– C'est la veille de Noël, aujourd'hui...
– J'ai encore plein de **cadeaux** à acheter...
– Ah, ce serait volontiers, mais ce n'est **vraiment pas** le jour...
Une souris âgée, qui marchait en s'appuyant sur une canne, chicota d'un air fier :
– J'ai beau être **vieux**, je ne me défilerai pas ! Je sais bien qu'on est la veille de Noël... mais **on ne peut pas** penser qu'aux cadeaux !
Puis, non sans mal, il se pencha en s'appuyant sur sa canne.
Il ramassa un **Mon Soury**, le frotta contre son **MOUCHOIR** et me le tendit avec fierté.

– ALORS, QUI ME SUIT ?

Tous les rongeurs qui étaient restés se regardèrent les uns les autres.

Enfin, l'un d'eux, une jeune souris avec un **look punk**, fit un pas en avant et ramassa un **Mon Soury**.

Une maman, qui tenait une petite souris **PAR LA PATTE**, murmura :

– Allez, Riri, sois mignon, ramasse des petits fromages, toi aussi ! On va aider le monsieur !

Un rongeur à l'air **distingué**, portant une mallette, jeta un regard soucieux à sa montre. Puis il posa sa mallette et se mit à ramasser des fromages avec nous.

Un facteur déposa sa sacoche BOURRÉE DE LETTRES et de cartes de vœux, et vint nous aider. Le marchand de journaux du coin de la rue et le fils du boulanger suivirent son exemple, puis ce fut le tour de la concierge du 16 *rue des Raviolis*, imitée par le boucher et sa femme... et par toute une classe qui passait par là : les écoliers se mirent à ramasser joyeusement les petits fromages, sous l'œil attentif de leur maîtresse. Un tramway bondé arriva, mais il ne pouvait pas passer.

Les passagers et le chauffeur descendirent et commencèrent à ramasser les fromages Mon Soury avec entrain.

Je me précipitai au journal et appelai mes collaborateurs. Les moustaches vibrantes d'émotion, je m'écriai :

– Quoi que vous soyez en train de faire, **laissez tomber** ! Arrêtez l'imprimerie ! Venez tous m'aider. Nous devons sécher les petits fromages et les faire briller comme s'ils étaient tout **neufs** !

D'innombrables passants, intrigués, s'arrêtaient pour demander ce qui s'était passé et se mettaient ensuite à nous aider.

À la fin, **plus de cent** rongeurs ramassaient des fromages devant mon journal !

Une radio privée, Radio Scouik, lança un appel qui fut répercuté sur Internet. La foule des souris de bonne volonté ne cessait de croître.

Attention attention !

Appel à toutes les souris, aux mulots,
rats des villes et rats des champs !!!
recherche des rongeurs de bonne volonté...
our aider un malheureux camionneur...
rue des Raviolis...

Les souris penchées en avant pour cette drôle de cueillette discutaient entre elles, **riaient**, plaisantaient. Tout en m'activant, je pensais, tout joyeux : « À Noël, tous les gens sont **meilleurs**, plus gentils, plus disponibles pour les autres. Ah, si ça pouvait être comme ça toute l'année... »

Tous les Mon Soury ramassés et séchés étaient astiqués un à un et rangés dans le camion. Le chauffeur regardait **NERVEUSEMENT** sa montre.

Mais j'étais sûr qu'on allait y arriver !

Benjamin, lui aussi, nous aidait, et discutait avec **Riri**.

Il était maintenant deux heures de l'après-midi. Je me penchai pour ramasser un **Mon Soury** et le tendis au chauffeur.

– Et voilà ! C'est le *dernier* !

Il me serra la patte.

– Merci, monsieur *Geronico*, murmura-t-il **AVEC ÉMOTION**.

Je le corrigeai :

– Euh, mon nom est Stilton, *Geronimo* Stilton... Mais je crois qu'il ne m'entendit pas. Il se tourna vers la foule et déclara :

– Comment puis-je vous remercier ? *Joyeux Noël* à tous, mes amis !

– *Joyeux Noël* ! répondîmes-nous en chœur.

Il nous salua 🐾🐾 🐾🐾 **PATTE** 🐾 et repartit au volant de son énorme camion Ratero.

SAUT DE LA MORT
AVEC TRIPLE PIROUETTE

J'étais épuisé, mais *heureux*. Je décidai d'écrire un article dans mon journal, pour expliquer que le véritable esprit de Noël, ce n'est pas de dépenser plein d'argent pour acheter des *CADEAUX*, mais d'essayer d'être gentil avec les autres...

Ça, c'est le véritable esprit de Noël !

– Bien bien bien, murmurai-je pour moi-même. Je crois que je vais signer ce contrat et rentrer chez moi.

Je retournai à mon bureau.

En montant les **MARCHES DU PERRON** qui conduit à ma maison d'édition...

je posai la patte sur quelque chose de glissant...

et je tombai à la renverse...

j'exécutai un saut de la mort avec triple pirouette...

j'atterris sur le museau...

...et, dans une glissade finale, m'écrabouillai sur le trottoir !!!

dévalai les treize marches en roulé-boulé...

Mais sur quoi donc avais-je **dérapé**?

Je me relevai, plus mort que vif, et réunis mes dernières forces pour ramasser un petit fromage **Mon Soury** écrasé.

– Argh… ce n'était pas le dernier… ce n'était pas le dernier… réussis-je à murmurer avant de m'évanouir.

On me ranima en me faisant respirer des sels au **parfum de parmesan !**

Puis une ambulance arriva.

On me mit sur une civière et on me transporta aux **URGENCES**, toutes sirènes hurlantes.

Par mille mimolettes… *quelle horrible veille de Noël !*

JE TIENS À MA QUEUE, MOI !

Je sortis des urgences avec la patte gauche **DANS LE PLÂTRE**. Je retournai à mon bureau, m'assis à ma table, feuilletai de nouveau le contrat...

Tandis que je regardai distraitement par la fenêtre, je vis une petite vieille qui allait traverser la **RUE** juste devant mon bureau, au 13 de la rue des Raviolis...

J'en eus le poil qui se hérissa : par mille mimolettes, il y avait une *circulation terrible*,
elle allait se faire renverser !

Je m'élançai au dehors.

– Madame ! Arrêtez !!! Je vais vous aider à
TRAVERSER !

Elle avait déjà posé une patte sur la chaussée, et
je la retins à temps.

Je lui tendis la patte (la droite, celle qui n'avait
rien) et je l'accompagnai de l'autre côté de la rue.

Elle murmura, **ÉMUE** :

– Merci, jeune souris ! Joyeux Noël !

– Joyeux Noël à vous, madame !

Satisfait, je revins sur mes pas.

Une fois sur l'autre trottoir, je me retournai pour la saluer une dernière fois… et c'est avec **HORREUR** que je m'aperçus qu'elle retraversait la rue !

Je m'élançai au milieu du trafic, je manquai de me faire

… **accrocher** par un taxi…

… **TAMPONNER** par un bus…

… **tartiner** sur le goudron par un camion.

Je rattrapai la vieille dame juste à temps :

– Vous auriez pu me dire que vous vouliez retraverser, madame…

Je fis signe aux voitures de s'arrêter et je la raccompagnai de l'autre côté de la rue.

– Merci, jeune souris ! Joyeux Noël ! murmura-t-elle de nouveau, tout **ÉMUE**.

Je poussai un soupir de soulagement, me retournai pour rentrer au bureau, mais c'est alors que j'entendis un grand CRISSEMENT DE PNEUS et tournai brusquement la tête.

Un semi-remorque avait freiné à s'en arracher le cAOUTCHOuc des pneus pour ne pas renverser la petite vieille, qui traversait **de nouveau** la rue !

N'écoutant que mon courage, au mépris du danger, je m'élançai encore une fois au milieu du trafic pour lui éviter d'être écrabouillée : il s'en fallut d'un poil.

En récompense, le semi-remorque me roula sur la queue et y laissa l'empreinte de ses PNEUS.

– *Scouiiiiiiiiiiiiiit* ! hurlai-je.

– Merci, jeune souris ! Joyeux Noël ! murmura la vieille dame, et je m'évanouis.

La dernière chose que je vis, c'est la petite vieille, souriante, qui retraversait la rue…

Quelle horrible veille de Noël !

ENCORE VOUS, STILTON ???

Une **ambulance** arriva, on me déposa sur une civière. Un des infirmiers me reconnut et s'exclama :

– Encore vous ?

L'autre infirmier se retourna et couina :

– Ah, c'est encore vous, Stilton ? *Géranimé* Stilton ?

J'allais répondre :

– Mon nom est Stilton, *Geronimo* Stilton...

Mais, comme il avait tourné la tête en arrière, le brancardier trébucha, la civière se renversa... je tombai par terre et me cabossai le museau !

On me transporta aux URGENCES, toutes sirènes hurlantes. *Quelle horrible veille de Noël !* Quand je revins à moi, le docteur Stétho Scope, alias Charpie, était en train de me PANSER la queue, en hochant la tête d'un air de pitié. Il dit :

– C'est encore vous ? Vous devriez faire plus attention, hein ! Il faut regarder à droite et à gauche avant de traverser la rue. Ah, les rongeurs intellectuels ont toujours la tête dans les nUAGEs... vous êtes éditeur, n'est-ce pas, *Geronigo* ?

J'aurais voulu lui répondre que mon nom était Stilton, *Geronimo* Stilton, mais il me mettait des bandages sur le museau, comme si j'étais une MOMIE, et je ne pus que marmonner :

– Mmmmmmmh, mmmh !

JE T'AIME,
ONCLE GERONIMO !

Il était déjà quatre heures de l'après-midi quand je revins au bureau.

Épuisé, je me laissai tomber dans **mon fauteuil.**

Je me promis de sortir dès que j'aurais signé ce maudit contrat. Je n'en pouvais plus. *Quelle horrible veille de Noël !*

Je signai. Puis je prévins **Sourisette** que je m'en allais.

Ma seule consolation, c'était de penser que, chez moi, tout était prêt...

Je pensai à la décoration du séjour, à l'arbre orné de boules de couleur, au bon repas qui m'attendait à la cuisine, aux **cadeaux** que j'avais déjà achetés pour mes amis...

Benjamin entra :

– Tonton, oncle Geronimo ! chicota-t-il, inquiet. J'ai appris que tu t'étais fait **MAL** et je suis venu voir comment tu allais.

Je souris (aïe, avec les moustaches couvertes de PANSEMENTS, même sourire me faisait mal !).

– Mon petit souriceau chéri, mon neveu adoré, je vais très bien, ne t'inquiète pas !

Nous sortîmes ensemble et nous dirigeâmes vers la maison. En chemin, Benjamin bavardait :

– Oncle Geronimo, comme tu as été gentil d'aider le chauffeur de ce camion ! Et comme tu as été *courageux* de sauver cette vieille dame ! Ah, j'aimerais tellement être comme toi… *je t'aime, oncle Geronimo* !

Je caressai ses petites oreilles avec ma patte valide. J'aimais vraiment beaucoup ce souriceau ! J'étais fier qu'il me prenne toujours pour modèle. Pourtant, je ne me considérais pas comme quelqu'un d'**EXCEPTIONNEL**, au contraire...

Benjamin continuait à bavarder, me parlant de ses petits problèmes, de son école, de ses copains. Puis, d'un air SOLENNEL, il m'offrit son cadeau : un petit cœur de pâte à sel peint en rouge, où il avait gravé ses initiales, B.S., Benjamin Stilton.

– C'est un presse-papiers, tonton ! Pour mettre sur ton bureau ! Comme ça, tu te souviendras que mon cœur est toujours près de toi, même quand nous sommes éloignés !

Ému, j'écrasai une petite LARME.

un petit cœur de pâte à sel peint en rouge

B.S.

GLISSE, GLISSE, MON CŒUR DE BEURRE...

Sur le chemin de la maison, Benjamin et moi nous arrêtâmes au parc pour faire un BONHOMME DE NEIGE. On s'amusa comme des fous !

Pour faire le nez, nous mîmes une carotte, deux grosses pommes de pin pour les oreilles, et une ÉCHARPE ROUGE autour du cou. Et les yeux ? Deux boutons noirs, brillants comme des miroirs... Puis nous fîmes une bataille de boules de neige. Malgré mon bras gauche dans le plâtre, mon museau cabossé et ma queue bandée, je louai une luge et nous fîmes de belles glissades. Puis nous allâmes patiner sur l'étang gelé, en chantant en chœur des chants de Noël...

Glisse, glisse, mon cœur de beurre…

Glisse, glisse, mon cœur de beurre…
Le chat dort, la souris est au chaud dans son trou !
Patine ici, patine là, en haut, en bas, partout…
Glisser sur la neige est un grand bonheur,
Autant que de savoir donner son cœur,
Patinons du lever au coucher,
Rien n'est plus doux que l'amitié !

JE M'APPELLE
CHAMALLO

Nous allions rentrer à la maison quand j'entendis quelqu'un pleurer.

Je regardai autour de moi et découvris une petite souris qui avait plus ou moins l'âge de Benjamin. **Elle sanglotait**, tandis qu'un souriceau à la mine taquine la tirait par les tresses. Il avait renversé son petit sac à dos.

Benjamin et moi nous approchâmes pour la défendre.

Je lançai sur un ton grondeur :

– **DIS DONC TOI**, tu vas laisser cette petite souris !

Pour toute réponse, le voyou ricana sous ses moustaches et me décocha un violent **COUP DE PIED** dans les tibias.

Je restai comme une souris abasourdie.

Par mille mimolettes, quelle douleur !
Je dérapai sur la glace et m'affalai le
museau en avant dans la neige.
Benjamin cria :
– Laisse mon oncle tranquille, espèce
de malappris !
L'autre **S'ENFUIT**.
Je me relevai en recrachant de la
neige. Benjamin ramassa les cahiers
et les crayons **éparpillés par
terre** et les rendit à la petite souris.
Puis il la consola :
– Ce n'était qu'un vaurien... et,
comme tous les vauriens, un
LÂCHE ! Tu as vu comme il a pris
ses pattes à son cou ?
La **petite souris** sécha
ses larmes.
– Merci, tu as été vraiment
très courageux.

Benjamin devint rouge comme une **pivoine**.

– Mais non, je n'ai rien fait de spécial…

Les deux enfants souriaient en se tenant par la patte. Ils étaient déjà devenus de GRANDS AMIS !

Je me présentai :

– Bonjour, mon nom est Stilton, *Geronimo Stilton*. Et toi, comment t'appelles-tu ?

– Je m'appelle *Chamallo*… répondit-elle timidement.

Je les emmenai boire un **chocolat chaud** dans la pâtisserie la plus élégante de la ville, *Sourisucre.*

Nous nous assîmes à une petite table devant nos **TASSES** fumantes.

Je sirotai le chocolat chaud recouvert d'une belle couche de *crème chantilly* saupoudrée de cannelle, goûtai un beignet au triple roquefort... *quel délice !*

La pâtisserie était pleine de rongeurs qui bavardaient, **cancanaient**, commentaient les dernières nouvelles de Sourisia, se souhaitaient un joyeux Noël, échangeaient leurs **CADEAUX**.

COMME UNE ODEUR
DE BRÛLÉ

Le soir tombait, il faisait déjà **nuit**.
Nous raccompagnâmes Chamallo, puis nous prîmes le chemin de la maison.
– Cher Benjamin, *quelle horrible veille de Noël* !
D'abord l' HISTOIRE du camion, puis la petite vieille, puis ce voyou qui m'a donné un coup de pied dans les tibias… heureusement, c'est fini, maintenant !
Benjamin me serrait très fort la PATTE, en trottinant à côté de moi.
– Il me tarde d'être ce soir, oncle Geronimo. Quelle BELLE FÊTE ça va être !

Je lui racontai alors que j'avais tout préparé : le sapin de Noël, les cadeaux, la bûche farcie au **roquefort**...

– Même la bûche, tonton ? De la bûche au roquefort ! Waouh ! *Assourissant !*

Mais quand nous arrivâmes RUE DU FAU-BOURG DU RAT, où j'habite, je flairai comme une odeur de **brûlé**.

Et, devant nous passa... un camion de pompiers, **toutes sirènes hurlantes !!!**

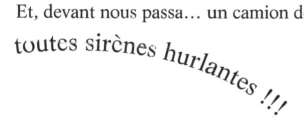

LES MOUSTACHES TREMBLANTES...

À l'angle de la rue du Faubourg du Rat et de la rue Pigouille, j'arrêtai un passant pour lui demander, par pure curiosité :

– Euh, excusez-moi, mais **que se passe-t-il** ?

L'autre me répondit, d'un ton indifférent :

– Oh, j'ai entendu dire que c'est la maison d'un éditeur qui **BRÛLE**...

– Ah, vraiment ? Je ne savais pas qu'il y avait un `éditeur` qui habitait rue du Faubourg du Rat... en dehors de moi, bien sûr...

L'autre poursuivit :

– Eh oui, il paraît que ce gars, *enfin ce rat*, a laissé une bougie de Noël allumée... quel **nigaud**, hein ?

Soudain, je fus **FOUDROYÉ** par une pensée horrible.

Rue du Faubourg du Rat… un éditeur… une bougie de Noël… mais, c'était tout simplement ma maison qui brûlait !

Les moustaches **TREMBLANT** d'agitation, je m'ouvris un chemin au milieu de la foule, suivi de Benjamin.

– Poussez-vous ! Poussez-vous ! Scouittt ! C'est ma maison qui brûle !

J'arrivai devant le **NUMÉRO 8** de la rue du Faubourg du Rat, mais trop tard : il n'y avait plus rien à faire.

Quelle horrible veille de Noël !

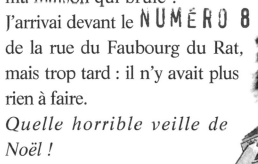

J'EN METS
MA QUEUE À COUPER...

Je me serais **ARRACHÉ** les moustaches de désespoir, mais je ne pouvais pas : elles étaient recouvertes de pansements.

Cependant, je couinais :

– Le sapin de Noël... la couronne de houx... la bûche au roquefort... les cadeaux pour ma famille... le réveillon que j'ai organisé avec tant de soin... scouittt, que vais-je dire à mes invités ?

Benjamin tenta de me consoler :

– Tonton, ce n'est pas grave, ce soir, on ira au *restaurant,* et, pour le cadeau, ça ne fait rien, il me suffit de savoir que tu y as pensé...

Je vis un pompier qui dirigeait un puissant jet d'eau sur ma maison.

– J'en mettrais ma queue à couper : vous avez laissé une BOUGIE allumée, hein ? Vous avez vu le résultat ? Aujourd'hui, j'ai déjà éteint une quinzaine d'incendies comme celui-là… vous pouvez remercier votre concierge, Madame Frottebrique, sinon, à l'heure qu'il est, de votre maison il ne resterait plus que la porte ! Et encore…

La concierge couina :

– Monsieur Stilton ! J'ai appelé les pompiers dès que j'ai vu la fumée. Mais il était déjà trop tard…

J'avais le moral plus bas que les pattes, et je murmurai :

– Merci quand même, madame Frottebrique !

LES PATTES DANS L'EAU...

Quand les pompiers furent partis, j'ouvris la porte de chez moi. D'un coup, je fus submergé par une **ENORME** vague.

– Au secouuurs ! hurlai-je, emporté par le courant.

Benjamin me rattrapa juste à temps par les oreilles, *sinon j'aurais dégringolé les escaliers !*

Je fis le tour de la maison pour constater les dégâts. Pour éteindre l'incendie, les pompiers avaient tout inondé. Çà et là *flottaient* des objets de toute sorte : casseroles, livres, décorations de Noël...

Je vis flotter un paquet jaune, tout brûlé : c'était le cadeau de Benjamin...

Dans la cuisine, je trouvai la bûche au roquefort, complètement DÉTREMPÉE. J'en aurais pleuré. Je m'étais donné tant de mal pour tout préparer ! La fenêtre de la salle de séjour était ouverte : sans doute les rideaux, agités par le vent, s'étaient-ils enflammés à la bougie des angelots... je soupirai. Ne jamais laisser une FLAMME sans surveillance ! Benjamin et moi, nous prîmes chacun un seau et commençâmes à écoper en jetant l'eau dans la gouttière.

La SONNETTE retentit.

Les larmes aux yeux, je me traînai jusqu'à la porte : c'étaient Téa et Traquenard.

– Frérot ! Que se passe-t-il ? demanda-t-elle.

Traquenard couina :

– Geronimou ! Tu as fait **GRILLER** ta maison !
Puis il me regarda mieux :

– Et tous ces pansements ? Tu sais que tu res-
sembles vraiment à une M O M I E ?

PATAUGEANT dans l'eau, je me
dirigeai vers la cuisine.

– La maison est inondée. Comment va-t-on fêter
Noël ? sanglotai-je. *Quelle horrible veille de
Noël !* C'est pas juste ! Bouuuh ! Ouiiiiiiiin !
Scouiiiiiiit ! Que vont dire mes invités ? Je vais
avoir L'AIR RIDICULE...

GERONIMO, NE SOIS PAS HYSTÉRIQUE !

Téa couina :

– Geronimo, ne sois pas hystérique ! Geronimo !
Geronimo ! Geronimo ! Geronimooo !

Je hurlai, exaspéré :

– Ne crie pas ! Je ne suis pas sourd, tu sais ?

Téa *cria* de plus belle (elle fait toujours ça,
dans les situations d'urgence) :

– Geronimo ! Geronimooo ! On contrôle tout !
Ne te laisse pas gagner par la panique !

Je hurlai encore plus fort :
– C'est *toi* qui vas me la donner, la panique !
Téa ne m'écouta pas et commença à donner des ordres.
– Ce réveillon, *on va le faire* ! Ou je ne m'appelle pas Téa Stilton !
Puis elle cria :
– Traquenard ! Benjamin ! Il nous faut :
* une **pompe marine** (du genre de celles dont on se sert pour vider les sentines des bateaux quand elles sont remplies d'eau) ;
* des **ventilateurs** et des **radiateurs** pour assécher le sol et les murs ;

* du **papier peint** pour tapisser les murs noircis par l'incendie ;

* de la **moquette** pour recouvrir le sol abîmé par l'eau ;

* un **restaurateur** pour réparer les meubles anciens ;

* de la **nourriture pour le réveillon.**

Je murmurai :

– Impossible… on n'y arrivera pas… on n'y arrivera jamais…

Épuisé, je m'écroulai dans mon fauteuil préféré.

Il en jaillit une éclaboussure d'eau qui retomba droit sur mon museau.

Ah, quelle horrible veille de Noël !

éclaboussure éclaboussure éclaboussure éclaboussure

Scouittt...

TU VAS VOIR,
GERONIMEUH !

Téa répéta :

– Mais non, tu vas voir, on y arrivera !

J'étais désespéré :

– Nous n'avons pas le temps ! Les invités vont arriver à neuf heures : il ne nous reste qu'une heure ! **Une heure !**

Traquenard ricana et couina, en me donnant un coup de coude :

– Ha ha haaa, alors il nous reste soixante **minutes** avant l'**heure H**, *Gerominou ?* Ne t'inquiète pas, *Geronimini !* J'ai plein d'amis à Sourisia. Tu vas voir, *Geronimeuh !* Tu as confiance en moi, oui ou non ? Hein ? Tu as confiance en moi, *Geronimulot ?*

– Non ! Je n'ai pas confiance ! couinai-je, EXASPÉRÉ.

Il s'étonna (ou il fit semblant de s'étonner). Puis, en se grattant la queue, il me hurla au museau :

– Tu n'as pas confiance ? Et pourquoi cela ? Est-ce que je t'ai jamais causé du tort, cousin ? Hein ? Réponds, *Geromini* ! Est-ce que je t'ai jamais CAUSÉ DU TORT, *Geronimus* ? Réponds ! Réponds, cousin ! Réponds, *Geronimoche* !

– Si, tu m'as déjà causé du tort ! Des centaines de fois ! CRIAI-JE. Et puis, s'il te plaît, tu voudras bien prendre note que mon nom est Stilton, *Geronimo* Stilton !

Tout en **si*fflotan*** gaiement (mais comment pouvait-il être de bonne humeur dans un moment pareil ?), il marmonna dans son portable :

– Salut, mon pote, c'est Traquenard... ton bon vieux copain Traquenard... j'ai besoin que tu me rendes un service... quoi ? Mais bien sûr, je le sais que c'est la *veille de Noël* ! C'est bien pour ça que je t'ai appelé, toi... sinon, ça ne serait pas un service. Je me moque du prix comme de mon premier **poil de moustache**, de toute façon, c'est mon cousin qui paie... Alors débouche-toi bien les oreilles, voilà ce qu'il me faudrait... mais tout de suite, hein, **Tout de suite**... l'**heure H** approche...

Il sortit, suivi de Benjamin.

Avant de partir, mon neveu me fit un **bisou**, en murmurant :

– Ne t'inquiète pas, oncle Geronimo, tout va s'arranger, tu verras !

50'
HEURE H MOINS CINQUANTE MINUTES !

Peu après entra un gars, *enfin un rat,* vêtu d'un PULL à rayures blanches et violettes. Il empestait le hareng à cent pas.

– Ohé, les naufragés ! On pourrait faire voguer un chalutier, là-dedans ! Je suis un ami de Traquenard : **Patarasse Papelard, alias Papp**. Je suis (sans me vanter) le meilleur pêcheur de harengs de Sourisia. Et voici mes collaborateurs...

Il fit un signe à deux marins qui le suivaient.

– Allez, les mulots ! **AU BOULOT** !

Les deux souris déroulèrent un long tuyau de caoutchouc, relié à un générateur de courant, et ils commencèrent

Patarasse Papelard, alias Papp.

à pomper l'eau en la rejetant par la fenêtre.
J'entendis un **CRÉPITEMENT** et des
cris, en dessous, dans la rue :
– Mais qu'est-ce qui se passe ?
– C'est quoi, toute cette eau ?
– C'est le **DÉLUGE** !
– Regardez, ça vient de chez Stilton !
– Stilton ?
– Vous savez bien, l'éditeur ! Si je l'attrape,
celui-là !
Les deux marins ricanèrent.
À ce moment, Patarasse vit Téa... et eut le
coup de foudre.
Il ne comprit plus rien. Il s'inclina galamment
devant elle et commença à jacasser :
– Sirène ensorcelante ! *Nymphe des mers !*
Phare dans la nuit ! Lumière dans les ténèbres !
Aurore boréale !
Téa (qui a l'habitude d'être couverte de compli-
ments par tous ses soupirants, et ils sont

nombreux, je vous le garantis) eut un *sourire malicieux* et murmura :
– Oh, comme vous êtes galant...
Il se frisa les moustaches, s'inclina dans un mouvement **mélodramatique** et se remit à chicoter :
– Princesse des Marées ! Souveraine des Corsaires ! Déesse des Vagues ! Je n'aurais jamais imaginé que Traquenard ait une cousinette si charmante...
Puis il alla droit au but.
– Vous êtes libre, ce soir ? Pour un *dîner* de poissons ? Je connais un petit restaurant romantique, « *Au merlan amoureux* »...
Téa minauda en clignant des yeux :
– Commencez par jeter toute cette eau dehors, on verra après pour le dîner...
Je hurlai, exaspéré :
– Un dîner ? Un dîner ? Ce soir, c'est *Noël* !
Et dans quelques minutes, j'ai une foule d'invi-

tés qui débarque ici ! Alors, je vous en supplie,
au boulot !

Il me regarda comme si j'étais un ASTICOT DES MERS.

– Vous aussi, vous êtes un cousin de Traquenard,
pas vrai ? Mais il n'y a vraiment pas photo avec
la demoiselle… ne vous inquiétez pas, on va vous
la vider votre cambusc, enfin, votre maison !
Vous n'allez pas piquer une crise d'hystérie
pour un peu d'humidité…

J'aurais voulu lui sauter à la gorge, mais je me retins.
Lui et ses sous-fifres étaient mon dernier espoir !
Un instant plus tard, le sol était sec. Plus une
goutte d'eau ! Je n'en croyais pas mes yeux.
Je demandai :

– Merci, merci, combien vous dois-je ?

Il s'inclina profondément et
murmura galamment en regardant Téa :

– Cadeau pour mademoi-
selle…

40'

HEURE H MOINS QUARANTE MINUTES !

Tout de suite après entra un gars, *ou plutôt un rat*, assez **grassouillet**, avec un abominable costume de velours violet à trois boutons. Pour compléter son look, il avait au poignet un bracelet d'argent, à l'auriculaire une **bagouze** montée d'un faux diamant, la chemise ouverte jusqu'au nombril, une **CHAÎNE** dorée en toc avec des breloques, une sacoche en imitation croco, des chaussures et une ceinture en simili python d'un vert **moisissure** de roquefort...

Il portait sous la patte un **petit** radiateur et un **minuscule** ventilateur.

Il se présenta en s'inclinant :

– Salut, mesdames messieurs ! Je suis un ami de Traquenard ! Je m'appelle Alec Trocuté, représentant en électroménager ! J'ai ici un ventilateur, *he he heee...* et un RADIATEUR... *he he heee...*
Je m'écriai :
– *Un* ventilateur ? *Un* radiateur ? Mais ça ne suffira pas !
Il me regarda avec pitié.
– Vous plaisantez, non ? Ou alors vous me traitez d'incompétent ?
Parce que, avec ce ventilateur compact et avec ce radiateur *super-micro-robotisé,* je vous assèche la maison en un clin d'œil, garanti au fromage ! Ne vous fiez pas aux apparences...
Puis il suggéra, sournois :
– On parie ?

Alec Trocuté

Je hurlai :
– Je parie **UN MILLION** de croûtes de fromage que vous n'y arriverez pas ! Même pas en une semaine !
Il sourit :
– Je ne vous demande que dix minutes !
Puis il alluma son radiateur. En quelques secondes (ne me demandez pas comment c'est possible), l'appartement se transforma en un véritable **FOUR**. Puis il alluma le ventilateur. D'un seul coup, on se serait cru dans le désert quand souffle le vent du sud brûlant.
Il ne manquait que le sable et les chameaux !

Je fus obligé de sortir prendre l'air, sinon je me serais encore ÉVANOUI, à cause de la chaleur, cette fois-ci.

Dix minutes plus tard, il m'appela, l'air triomphant :

– Venez, venez toucher les murs ! Vous avez vu ? C'est pas beau, ça ? He he heee… Je vous l'avais bien dit ! Jc les connais, moi, les produits que je vends… **Garanti au fromage !**

Puis il mc donna un coup de patte sur l'épaule, en souriant sous ses moustaches :

– J'ai rendu ce service à Traqucnard par amitié… mais vous avez perdu le pari et vous mc devez de l'argent… Combien aviez-vous dit ? UN MILLION de croûtes de fromage ? Ça ne vous dérange pas si je passe les prendre demain à votre banque ?

Je balbutiai :

– Un million ? Euh, je disais ça comme ça, pour plaisanter…

Il insista :

– Ah, vous plaisantiez ? Vraiment ? Bon, laissons

tomber le pari, mais achetez-moi au moins le radiateur et le ventilateur, hein ? Et vous faites une affaire, en plus... **garanti au fromage !** Comme c'est Noël, je vous accorde une remise exceptionnelle... et puis, tiens, vous savez que vous m'êtes *sympathique* ?

Je soupirai, résigné, et sortis mon carnet de chèques.

HEURE H MOINS TRENTE MINUTES !

Quelques instants plus tard, une équipe de huit
ouvriers entra.

Ils crièrent tous en chœur :

– Nous sommes…

LES HUIT FRÈRES OCTOPATTE !

– Ne vous inquiétez pas, vous êtes entre de bonnes
pattes… et même, *entre de bonnes octopattes* !

LES HUIT FRÈRES OCTOPATTE

Ha ha haaa ! cria le plus gras, qui se croyait *trèèès* spirituel.

Je me forçai à sourire.

– Euh, vous êtes des amis de Traquenard, je suppose…

– Non ! répondit-il. Nous passions dans le coin et votre cousin nous a dit que vous étiez désespéré parce que vous vouliez RETAPISSER votre maison et remettre de la MOQUETTE parce que ce soir vous aviez une réception très importante et que c'était urgent et que vous étiez prêt à débourser des sommes astronomiques et alors je me suis dit des sommes astronomiques ah ben alors j'ai dit à mes frères ha ha ha qu'est-ce qu'on fait on va lui donner un COUP DE PATTE oui ou non à partir du moment où il enfin où vous fournissez les pépètes sinon excusez-moi de vous le dire mais nous on n'est pas intéressés ha ha ha dans ce cas on se revoit après Noël à moins que vous n'ayez vraiment réellement pour de bon une **urgence** auquel cas...

Ce long discours m'avait **ÉTOURDI** : je n'avais compris que les mots *urgence* et *pépètes*. Résigné, je fis un geste de la patte, comme pour dire *c'est bon* et je ressortis mon carnet de chèques. Les frères Octopatte se mirent aussitôt au travail. Dix minutes plus tard (j'ai bien dit dix), les murs étaient entièrement **TAPISSÉS** et le sol recouvert d'une moquette jaune flambant neuve.

Snif...

20'

HEURE H MOINS VINGT MINUTES !

Une seconde plus tard entra un gars, *ou plutôt un rat*, d'apparence distinguée. Très snob, il astiqua son monocle avec un fin mouchoir de soie jaune ; puis il tira du gousset de son gilet une magnifique montre d'or et regarda l'heure.

– Mes hommages, mademoiselle. Bonsoir, cher monsieur. Je suis le *professeur Jopierre Ratiquaire*, expert en restauration. J'ai été appelé en consultation par un dénommé Traquenard, dont je crois qu'il est votre cousin. Je lui serrai la patte.

– Merci, professeur, avec vous, mes précieux meubles anciens seront en de bonnes pattes...

Il nettoya de nouveau son monocle, le posa sur le bout de son museau et examina attentivement les meubles en hochant la tête.

– Ne m'en veuillez pas de vous poser cette question, mais… on vous les a vendus comme *authentiques* ?
Je pâlis.

– Mais bien sûr. Ils *sont* authentiques ! Je les ai achetés à *La Boutique vermoulue*…
Il poussa un gémissement et se tapa le front de la patte.

– Oh noouooooooon !
À *La Boutique vermoulue* ?
Vous ignorez donc que ce magasin appartient au plus grand escroc de la ville ! Les meubles que vend *La Boutique vermoulue* sont tous… mais vraiment tous, absolument *faux* !
Je crus que j'allais **M'ÉVANOUIR**.

Le professeur Jopierre Ratiquaire

Il me tapa de la patte sur l'épaule.

– Ne vous inquiétez pas, je peux fort bien vous en débarrasser, et, pour ce soir, si vous voulez *impressionner* vos invités, euh, je ne vous ai peut-être pas dit que, moi aussi, je tiens un magasin, juste en face de *La Boutique vermoulue*...

Il sortit un luxueux catalogue en couleur.

– Et voilà : un magnifique buffet en noyer du **dix-huitième siècle**, une précieuse vitrine en acajou, une délicieuse bibliothèque en merisier, un splendide bahut en noyer pour l'entrée, une table extraordinaire en acajou avec sa **rallonge** (je sais que vos invités seront très nombreux !), et de merveilleuses chaises de style, naturellement. Voulez-vous connaître le prix de chaque meuble ?

Je l'interrompis :

– Donnez-moi directement le **total...**

Et je ressortis mon carnet de chèques.

Dix minutes plus tard, on me livrait les meubles.

Heure H moins dix minutes !

Un instant plus tard... entrèrent au pas de charge trente serveurs en **livrée** blanche. Ils portaient des plateaux chargés de toutes sortes de friandises.

À leur suite parut un gars, *ou plutôt un rat,* plus **LARGE** que haut, enrobé, avec des moustaches en *guidon de vélo*.

J'écarquillai les yeux, car je l'avais tout de suite reconnu : je l'avais vu à la télé, c'était **Savarin Gratin**, le plus célèbre cuisinier de Sourisia !

Il arrivait, patte dessus patte dessous, avec Traquenard !

Mon cousin jubilait :

– Tu ne le savais pas, hein, que je suis très, *trèèès* ami avec Savarin ? Nous étions copains à la *maternelle*, et c'est pourquoi il a accepté de cuisiner pour nous ce soir !

Savarin Gratin

H

HEURE H !

En un clin d'œil, la table de la salle à manger fut dressée et chargée de merveilles. Assiettes de porcelaine *bordées* d'un filet d'or pur et couverts d'argent, serviettes brodées et un splendide centre de table de Noël *avec du houx*... mais il avait été impossible de trouver une nappe assez grande pour l'**IMMENSE** table que je venais d'acheter. Heureusement, Téa avait eu une idée : utiliser le rideau de velours rouge de la bibliothèque de grand-père ! Cette table était splendide, mais bien trop grande...

Il était neuf heures pile.

La **sonnette** retentit. C'était peut-être le premier invité ?

Non ! C'était le garçon de course de la fromagerie qui livrait les deux MEULES DE GRUYÈRE que j'avais commandées le matin.
J'eus une idée : ça ferait des cadeaux parfaits pour Téa et Traquenard !
Peu après, la sonnette tinta de nouveau.
Le premier invité ? *Non !* C'était le garçon de course du magasin de jouets qui livrait le chat en **PELUCHE**.
– C'est pour toi, Benjamin ! dis-je avec affection.
– Merci, tonton, je t'aime ! dit-il en me faisant un bisou sur la pointe du museau couvert de pansements.
– Joyeux Noël, ma petite lichette d'emmental, moi aussi je t'aime...
Benjamin me murmura à l'oreille :
– Tonton, et les cadeaux pour les invités ?

Tante Toupie

Je crus que j'allais M'ÉVANOUIR. J'avais complètement oublié ! Benjamin sourit. Il brandit un grand panier plein de *pains d'épice porte-bonheur* en forme d'étoile avec un nœud rouge.

– C'était *mon* cadeau pour les invités... mais nous les distribuerons ensemble, tonton !

Je l'embrassai, ému.

La sonnette retentit de nouveau. Cette fois, c'était vraiment le premier invité, tante Toupie.

– Mon cher, mon très cher neveu !

– Tante Toupie ! Quel plaisir de te revoir !

Ma tante entra et remarqua tout de suite le BAHUT de noyer.

– Ta maison est une merveille, Geronimo ! Mais que t'es-tu fait au museau ?

Mon cousin Rejeton

Oncle Demilord Zanzibar

– Ah, tata, si tu savais… *quelle horrible veille de Noël !*

Ma tante me tendit son cadeau : une écharpe qu'elle avait faite au **crochet**. Benjamin et moi lui offrîmes un petit *pain d'épice porte-bonheur*. La sonnette tintait de nouveau : c'était le deuxième invité, mon oncle **Demilord Zanzibar**. Il me dit, d'un air rusé :

– Moi aussi, je t'ai apporté quelque chose,

TANTE MARGARINE · ONCLE CANCOILLOTTE · Oncle Artère

Les sœurs jumelles Raclette et Fondue

Geronimo... mon fils, Rejeton Zanzibar !
HA HA HAAA...
Cette réplique me fit sourire. Au cours de mon
aventure *Bienvenue à Castel Radin*, j'avais eu
l'occasion de bien connaître sa radinerie !
Après lui arrivèrent **TANTE MARGARINE** et
oncle Cancoillotte, avec les sœurs
jumelles Raclette et Fondue. Avec une révé-
rence, les deux petites souris (oh, comme elles
avaient grandi !) me tendirent un énorme
paquet enrubanné :
– C'est pour toi, oncle Geronimo !
J'ouvris : c'était une boîte de biscuits au gin-
gembre, mes préférés !

Scouittt !

ONCLE PÉTARADE

Avec eux était entré mon oncle Artère, un gars, *ou plutôt un rat,* **HYPOCONDRIAQUE**, qui a toujours peur d'attraper toutes sortes de maladies.

Il jeta un coup d'œil dans l'entrée et murmura :

– Qu'est-ce qu'on mange, ce soir ? Que des choses légères, j'espère… et, excuse-moi de te demander cela, mais as-tu invité des gens enrhumés ?

Il m'offrit un pot de miel curatif contre la toux. C'est alors que j'entendis une détonation et sursautai : c'était oncle Pétarade, toujours aussi farceur. Il me tendit un PAQUET que j'ouvris sans me méfier. Il en sortit un gant de boxe en caoutchouc qui vint frapper mon museau déjà bien cabossé.

Oncle Raristote

– Scouittt ! m'écriai-je, terrorisé.

– Ha ha haaa, mon neveu, je t'ai eu, encore une fois, hurla-t-il, tout heureux.

– Vraiment très drôle, comme blague ! murmurai-je courtoisement.

La sonnette retentit de nouveau.

C'était mon oncle Raristote, professeur à l'UNIVERSITÉ DE SOURISIA. Il m'offrit un livre de philosophie :

– Comme ça, tu te cultiveras un peu, mon neveu !

C'est alors qu'arriva **Honoré Tourneboulé**, alias **Panzer**. Mon grand-père ! C'est lui qui m'a légué *l'Écho du rongeur* (qu'il considère d'ailleurs encore comme sa propriété).

Grand-père Honoré me donna une GRANDE TAPE sur l'épaule :

– Alors, mon garçon, comment va l'entreprise ? Tu te conduis bien ? Pas de bêtises, hein, sinon je la reprends !

Grand-père Honoré

PINA

Je souris et soupirai :
– Oui, grand-père, je me conduis bien...
Il était venu avec sa fidèle *gouvernante*, Pina, célèbre pour ses raviolis au triple fromage.
J'étais heureux.

Je regardai le sapin de Noël : des paquets gros et petits s'entassaient devant, prêts à être ouverts ! Et une multitude de souris, mulots, rats des villes et rats des champs remplissaient la salle à manger !

Robiolina Ratine

Radolphe de Graindorge

En plus de ma famille, j'avais invité des amis et des connaissances : le marquis Radolphe de Graindorge, un gars, *ou plutôt un rat,* très snob que j'avais connu en jouant au golf ; Robiolina, la charmante petite souris avec qui je joue au tennis tous les jeudis ; et tant d'autres...

Mes collaborateurs de *l'Écho du rongeur* figuraient aussi parmi les invités.

Sourisette Von Draken, Chantilly Kashmir, Margarita Gingermouse, Quesita de la Pampa,

Fred Van Kaas, Larry Keys, Blasco Tabasco, Matt Wolf, Pinky Pick, Ratux Ratyx... et Soury Van Ratten, qui était devenu mon meilleur ami !

Il y avait aussi Ramollo Cliqué, web manager, et Pelagité Wap, webmaster.

Je les avais connus quand j'avais écrit *Mon premier manuel d'Internet…*

Il y avait aussi tous les amis de Téa : Bagatelle Migraine, Frick Tapioca, Chromatique Chrome…

Benjamin et Chamallo

Et la foule des amis de Traquenard.

Euh, toutes sortes de gars, *ou plutôt de rats,* un peu particuliers, comme Gobichon Gobetout, alias la Griffade, un rongeur à l'air suspect avec qui mon cousin passait des heures à jouer au billard, Cervelas Queuetranchée, Tracassin Triceps, Marinade Bouchot et tant d'autres !

Traquenard n'avait pas même oublié Abécédaire Cordusier, son vieil instituteur, qui, tout ému, se moucha dans un gros mouchoir jaune.

Benjamin, qui avait invité *Chamallo* et **Riri**,
lut à haute voix un poème de Noël :

Enfin, voici le soir de Noël,
Ce moment exceptionnel
Où les rongeurs s'offrent des cadeaux,
Où ils sont tous bons et beaux.
Joyeux Noël à tous les rongeurs…
Que la joie soit toujours dans vos cœurs !

Enfin, le grand Savarin sortit de la cuisine.
Il frisa ses moustaches d'un air triomphal, toussa, puis annonça solennellement :

– *Mesdames et messieurs*

les rongeurs sont servis !!!

JOYEUX NOËL, STILTON !

Nous allions attaquer les hors-d'œuvre au fromage quand Pinky chuchota à Chantilly :
– Savoir ce que fait Sally Rasmaussen, ce soir...
J'écoutais, distraitement.
Vous savez qui est Sally Rasmaussen ? C'est la directrice de *La Gazette du rat*, ma concurrente la plus redoutable !
Chantilly répondit :
– J'ai entendu dire que Sally va passer un Noël très triste, toute seule chez elle. Il paraît que personne, pas même ses collaborateurs, n'a voulu l'inviter !

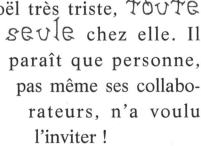

Traquenard commenta :

– Et je parie mon pelage qu'elle restera toute seule : personne ne peut la supporter !

Savarin entra à cet instant, portant un plateau plein de gourmandises.

Je regardai autour de moi. Je voyais les museaux heureux de tous mes parents, de tous mes amis, de tous mes collaborateurs.

Je voyais les amis de mes parents et les amis de mes amis... tous étaient heureux.

Soudain, j'eus un accès de *mélancolie* à la pensée que Sally, elle, était toute seule, en cette nuit *spéciale*.

Obéissant à un mouvement que je n'arrivai pas à m'expliquer, je priai les invités de m'excuser et me précipitai sur le téléphone.

Je composai le numéro de Sally :

– Allô ? Madame Rasmaussen, Sally Rasmaussen ? Ici Stilton, *Geronimo Stilton* !

Je compris que Sally était surprise. À l'autre bout du fil, j'entendis sa grosse voix †OႶႶᄃᒋ :
– *Par mille croûtes affinées de pigouille fumée...* que veux-tu, Stilton ? Alors ???
– Sally, veux-tu venir chez moi ? Nous fêtons *Noël* avec des amis...
Il y eut un long silence, un silence interminable.
– Pourquoi, Stilton ? *Alors*, pourquoi m'invites-tu ?
J'expliquai patiemment :
– Sally, ce soir n'est pas un soir comme les autres. Ça me désole de savoir que tu es toute seule chez toi...
Elle se tut, puis **bougonna** :
– Grounfff ! Bon, d'accord, mais seulement pour cette fois. Et c'est bien parce que c'est *Noël*, Stilton ! *Alors !!!*
Je souris sous mes moustaches.
Sally ne changera jamais !
Trois minutes plus tard, on sonnait à la porte.
Avec un grognement, elle me tendit un **petit paquet**.

– Grounfff… c'est pour toi !

Je l'ouvris. Il contenait un minuscule *cadre d'argent,* avec une photo de Sally.

Au bas de la photo, elle avait inscrit une dédicace :

À mon ami-ennemi, un jour de trêve… non mais alors !!!

Je l'invitai à entrer :

– Joyeux Noël, Sally…

Elle me lança un regard méfiant.

Puis elle sourit.

Et murmura :

– *Alors… Joyeux Noël,* Stilton !

TABLE DES MATIÈRES

Geronimo Stilton

DANS LA MÊME COLLECTION

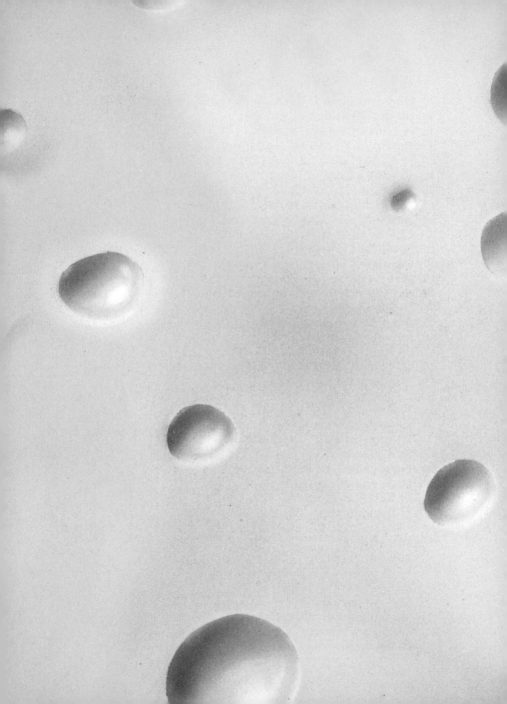

L'Écho du rongeur
1. Entrée
2. Imprimerie (où l'on imprime les livres et le journal)
3. Administration
4. Rédaction (où travaillent les rédacteurs, les maquettistes
   et les illustrateurs)
5. Bureau de Geronimo Stilton
6. Piste d'atterrissage pour hélicoptère

Sourisia, la ville des Souris

1. Zone industrielle de Sourisia
2. Usine de fromages
3. Aéroport
4. Télévision et radio
5. Marché aux fromages
6. Marché aux poissons
7. Hôtel de ville
8. Château de Snobinailles
9. Sept collines de Sourisia
10. Gare
11. Centre commercial
12. Cinéma
13. Gymnase
14. Salle de concert
15. Place de la Pierre-qui-Chante
16. Théâtre Tortillon
17. Grand Hôtel
18. Hôpital
19. Jardin botanique
20. Bazar des Puces qui boitent
21. Parking
22. Musée d'art moderne
23. Université et bibliothèque
24. La Gazette du rat
25. L'Écho du rongeur
26. Maison de Traquenard
27. Quartier de la mode
28. Restaurant du Fromage d'Or
29. Centre pour la Protection de la mer et de l'environnement
30. Capitainerie du port
31. Stade
32. Terrain de golf
33. Piscine
34. Tennis
35. Parc d'attractions
36. Maison de Geronimo Stilton
37. Quartier des antiquaires
38. Librairie
39. Chantiers navals
40. Maison de Téa
41. Port
42. Phare
43. Statue de la Liberté

Île des Souris

1. Grand Lac de glace
2. Pic de la Fourrure gelée
3. Pic du Tienvoiladéglaçons
4. Pic du Chteracontpacequilfaifroid
5. Sourikistan
6. Transourisie
7. Pic du Vampire
8. Volcan Souricifer
9. Lac de Soufre
10. Col du Chat Las
11. Pic du Putois
12. Forêt-Obscure
13. Vallée des Vampires vaniteux
14. Pic du Frisson
15. Col de la Ligne d'Ombre
16. Castel Radin
17. Parc national pour la défense de la nature
18. Las Ratayas Marinas
19. Forêt des Fossiles
20. Lac Lac
21. Lac Lac Lac
22. Lac Laclaclac
23. Roc Beaufort
24. Château de Moustimiaou
25. Vallée des Séquoias géants
26. Fontaine de Fondue
27. Marais sulfureux
28. Geyser
29. Vallée des Rats
30. Vallée Radégoûtante
31. Marais des Moustiques
32. Castel Comté
33. Désert du Souhara
34. Oasis du Chameau crachoteur
35. Pointe Cabochon
36. Jungle-Noire
37. Rio Mosquito

Au revoir, chers amis rongeurs, et à bientôt
pour de nouvelles aventures.
Des aventures au poil, parole de Stilton, de…

Geronimo Stilton